Richard Sale / Eberhard Jurgalski / George Rodway / Jochen Hemmleb

Herausforderung 8000er

Die höchsten Berge der Welt im 21. Jahrhundert. Menschen, Mythen, Meilensteine

Der reich bebilderte Band dokumentiert erstmals die bergsteigerischen Highlights und Entwicklungen an allen 14 Achttausendern im ersten Jahrzehnt des 21. Jahrhunderts.

213 farb. und 94 sw. Abb., geb. m. SU
ISBN 978-3-7022-3294-8
272 Seiten, € 45.–

Dieter Höss

Nepal

Menschen und Landschaften am Great Himalaya Trail

Konkurrenzlos und einzigartig: der erste deutschsprachige Bildband zum Great Himalaya Trail lässt Nepal in seiner ganzen Schönheit und landschaftlichen wie kulturellen Vielfalt erleben. Ein Buch zum Schauen, Staunen und Verwirklichen von Reiseträumen.

245 farb. Abb., 10 Karten, geb. m. SU
ISBN 978-3-7022-3625-0
248 Seiten, € 45.–

Hans-Joachim Löwer
Gipfelkreuze
Träume, Triumphe, Tragödien. Die 100 faszinierendsten Gipfelkreuze der Alpen und ihre Geschichten

Mahnmale, Monumente, Manifestationen: Die dramatischen Geschichten hinter den Gipfelkreuzen führen die Leser:innen auf die Höhen der Berge – und in die Tiefen menschlicher Emotionen.

238 farb. u. 56 sw. Abb.,2 Karten, geb. m. SU
ISBN 978-3-7022-3752-3
352 Seiten, € 34.–

Susanne Schaber
Herbert Raffalt
Der Geschmack der Berge
Eine kulinarische Reise zu den Almen Österreichs

Herbert Raffalt und Susanne Schaber wissen, warum es uns auf der Alm so gut schmeckt und verraten Rezepte, die ein Stück vom Alltag oberhalb der Waldgrenze in unsere Küchen holen. Ein Buch zum Träumen und Schmökern mit über 60 Original-Almrezepten aus Österreich.

129 farb. und 22 sw. Abb., geb.
ISBN 978-3-7022-3670-0
240 Seiten, € 24.95

Susanne Schaber
Herbert Raffalt
Almen in Österreich
Von Menschen und Tieren, vom Gestern und Heute

Herbert Raffalt und Susanne Schaber haben sich auf die Suche gemacht nach dem wirklichen Leben auf der Alm, haben dabei Hirten, Almbauern und Volkskundler getroffen und das Wesen des Almlebens von heute erkundet. Mit Reportagen aus allen Almregionen Österreichs und über hundert Tipps, wo sie Almleben genießen können.

149 farb. Abb., geb.
ISBN 978-3-7022-4112-4
200 Seiten, € 38.–

Susanne Schaber
Herbert Raffalt

Nationalpark Hohe Tauern

Naturparadies im Herz der Alpen

Über 1800 m² unter Schutz gestellte Berglandschaft in Tirol, Salzburg und Kärnten werden behutsam erkundet: Kultur und Traditionen in den Tälern zwischen den Gipfeln und Gletschern sowie Lebensweisen, Tiere und Pflanzen. Ein vielseitiges Porträt des größten Nationalparks der Alpen.

171 farb. Abb., geb.
ISBN 978-3-7022-3935-0
192 Seiten, € 34.95

B. Ritschel / F. Horn

Magische Momente über dem Ötztal

Traumziele für das Bergjahr

Mit seiner Vielfalt bietet das Ötztal eine Quintessenz – ein „Best-of" – aus allem, wofür die Alpen stehen. Es eröffnet einen einzigartigen Berg-Erlebnisraum, den dieses Buch mit Reportagen und großartigen Bildern einfängt.

174 farb. Abb., 1 Übersichtskarte, geb.
ISBN 978-3-7022-3443-0
176 Seiten, Sonderpreis € 14.95

H. Ender / G. Steger

Zillertal

Mit einem Vorwort von Peter Habeler

Eine fotografische Reise durch ein besonderes Tal. Der Fotograf Horst Ender porträtiert in diesem Prachtband seine faszinierende Heimat aus einer neuen und spannenden Perspektive. Mit Texten von Gudrun Steger.

179 farb. Abb., 1 Übersichtskarte, geb. m. SU
ISBN 978-3-7022-3259-7
152 Seiten, € 24.95

Erscheint im September 2023

„Zauberhaftes Karwendel, erstklassiges Buch“
DAV Panorama

Heinz Zak

Tirol. Magie der Berge

Der großformatige Bildband über die Kraft der Natur

Dieser großformatige Prachtbildband zeigt die ursprüngliche Vielfalt der Berge Tirols in Hunderten von außergewöhnlichen Bildkompositionen. Heinz Zaks Fotos sind ein Fest für die Sinne und eine Wohltat für die Seele.

ca. 200 farb. Abb., geb.
ISBN 978-3-7022-3930-5
ca. 224 Seiten, ca. € 48.–

Heinz Zak

Karwendel

Ein Bildband. Mit vielen Infos für Wanderer, Bergsteiger und Kletterer

Der renommierte Kletterer und Fotograf Heinz Zak lässt uns mit diesem Bildband die einzigartige Bergwelt zwischen Isar und Inn in ihrer ganzen Größe und Schönheit neu erleben.

300 farb. Abb., geb. m. SU
ISBN 978-3-7022-3338-9
280 Seiten, € 45.–

Karl Seidl / Bernd Lenzer

Osttirol

Alpine Wildnis – Zeitlose Schönheit

Karl Seidl ist seit Jahrzehnten unermüdlich als Naturfotograf, Wanderer und Kletterer in den Bergen Osttirols unterwegs und zeigt nun in seinem neuen Bildband die eindrücklichsten und stimmungsvollsten Fotografien aus seinem riesigen Fundus.

191 farb. Abb., geb. m. Titelprägung
ISBN 978-3-7022-4070-7
208 Seiten, € 38.–

Gebhard Bendler

Wilder Kaiser

Von Sommerfrischlern, Kletterlegenden, Skipionieren und dem Bergdoktor

Das reich bebilderte Buch erzählt die Geschichte der touristischen Entdeckung der Region Wilder Kaiser und spannt dabei einen weiten Bogen von der aufkommenden Alpenbegeisterung im 19. Jahrhundert bis in die Gegenwart. Ein einzigartiger Überblick mit vielen großformatigen Fotos.

256 farb. und 341 sw. Abb., geb. m. SU
ISBN 978-3-7022-3547-5
256 Seiten, € 39.95

Tom Dauer

Kurt Albert

Frei denken – frei klettern – frei sein

Packend und lange erwartet: Die Biografie eines der kreativsten Alpinisten aller Zeiten und die Antwort auf die Frage, warum Klettern ein Lebensgefühl ist.

109 farb. und 34 sw. Abb., geb. m. SU
ISBN 978-3-7022-3874-2
336 Seiten, € 29.95

Angela Eiter

Alles Klettern ist Problemlösen

Wie ich meinen Weg nach oben fand

Ein Blick hinter die Kulissen des boomenden Klettersports und eine authentische Lebensgeschichte, die fasziniert und berührt.

47 farb. Abb., geb. m. SU
ISBN 978-3-7022-3806-3
160 Seiten, € 19.95

Mailänder / Kompatscher

Er ging voraus nach Lhasa

Peter Aufschnaiter. Die Biographie

Mit dieser ersten umfassenden Biographie wird einem der größten Entdecker des 20. Jahrhunderts erstmals die Beachtung geschenkt, die er verdient – und die wahre Geschichte hinter dem Mythos packend erzählt.

68 farb. und sw. Abb., 3 farb. Karten, geb. m. SU
ISBN 978-3-7022-3693-9
416 Seiten, € 34.–

Cédric Gras

Stalins Alpinisten

Der Fall Abalakow

Aus dem Französischen von Manon Hopf

Wie kam es, dass Stalin die gefeierten Alpinisten, die in seinem Namen den Marxismus bis auf die höchsten Gipfel tragen sollten, verhaften und verschwinden ließ? Eine packende Reportage über das tragische Schicksal der russischen Bergsteiger Witali und Jewgeni Abalakow

19 sw. Abb., geb. m. SU
ISBN 978-3-7022-3972-5
224 Seiten, € 27.95

Jochen Hemmleb

Nanga Parbat

Das Drama 1970 und die Kontroverse. Wie die Messner-Tragödie zum größten Streitfall der Alpingeschichte wurde

Was geschah 1970 wirklich mit Reinhold und Günther Messner am Nanga Parbat? Ein dokumentarischer Krimi, akribisch recherchiert und packend erzählt!

50 farb. und sw. Abb, geb. m. SU
ISBN 978-3-7022-3064-7
232 Seiten, € 24.95

Christoph Hainz
Jochen Hemmleb

Nur der Berg ist mein Boss

Das Leben des Südtiroler Extremkletterers und Bergführers

Aufgewachsen in einfachsten Verhältnissen auf einem Bergbauernhof im Mühlwalder Tal, gilt Christoph Hainz heute als einer der vielseitigsten und unkonventionellsten Allround-Alpinisten seiner Generation.

87 farb. und 3 sw. Abb., geb. m. SU
ISBN 978-3-7022-3753-0
272 Seiten, € 24.95

„Gut, dass es noch Alpinisten wie sie gibt!“
F.A.Z. Magazin

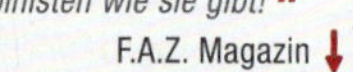

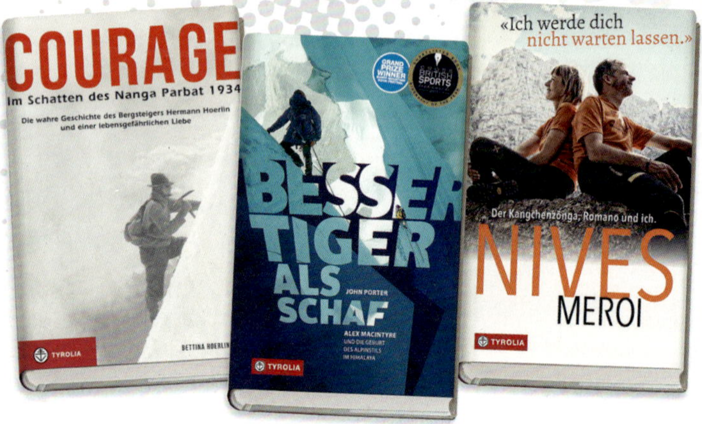

Bettina Hoerlin

Courage – Im Schatten des Nanga Parbat 1934

Die Geschichte des Bergsteigers Hermann Hoerlin und einer lebensgefährlichen Liebe

Eine packende Lebensgeschichte, die den Nationalsozialismus, die Erfahrung der Emigration und die Bedrohungen des Kalten Krieges unmittelbar miterleben lässt.

80 sw. Abb., geb. m. SU
ISBN 978-3-7022-3336-5
336 Seiten,
Sonderpreis € 12.95

John Porter

Besser Tiger als Schaf

Alex MacIntyre und die Geburt des Alpinstils im Himalaya

Alex MacIntyre, gestorben im Alter von 28 Jahren, war bereits zu Lebzeiten eine der bekanntesten Persönlichkeiten der Bergsteigerszene: eine Art Punk, der bis dahin Unvorstellbares in die Tat umsetzte.

67 farb., 10 sw. Abb., geb. m. SU
ISBN 978-3-7022-3546-8
384 Seiten, € 27.95

Nives Meroi

Ich werde dich nicht warten lassen

Der Kangchenzönga, Romano und ich

Nives Meroi und ihr Mann Romano haben bereits elf Achttausender gemeinsam bestiegen, als sich am Kangchendzönga ein Wendepunkt ihres Lebens ankündigt. Was dann folgt, stellt das Paar vor größere Herausforderungen als alle Achttausender zusammen.

35 farb. Abb., geb. m. SU
ISBN 978-3-7022-3505-5
176 Seiten,
Sonderpreis € 9.95

Jochen Hemmleb
AUSTRIA 8000
Österreichische Alpinisten auf den höchsten Gipfeln der Welt

Ging es um die erste Besteigung der höchsten Gipfel der Welt, waren von Anfang an österreichische Bergsteiger ganz vorne dabei. Mit historischen Porträts, spannenden Reportagen und persönlichen Interviews zeichnet dieses Buch erstmals ein ebenso umfassendes wie nuancenreiches Bild der österreichischen Leistungen an den Achttausendern – von den Anfängen bis heute.

57 farb., 55 sw. Abb., geb. m. SU
ISBN 978-3-7022-3209-2
416 Seiten, Sonderpreis € 14.95

Billi Bierling
Ich hab ein Rad in Kathmandu
Mein Leben mit den Achttausendern

Billi Bierling gilt als Expertin für das Höhenbergsteigen in Nepal. Wenn sie nicht gerade als Chronistin für die Himalayan Database tätig ist oder selbst Achttausender besteigt, arbeitet sie für die Humanitäre Hilfe der Schweiz. Sie erzählt von ihrem ungewöhnlichen Lebensweg voller bewegender menschlicher Begegnungen.

68 farb. Abb., geb. m. SU
ISBN 978-3-7022-4103-2
240 Seiten, € 28.–

„[…] Das Buch ist Pflichtlektüre für jeden Bergfreund und Alpinisten." OutdoorWelten

Karin Steinbach

Peter Habeler – Das Ziel ist der Gipfel

Die spannende Bilanz eines außergewöhnlichen Bergsteigerlebens

Im Rückblick auf sein aufregendes Leben erzählt Peter Habeler von Grenzerfahrungen, Triumphen und Niederlagen – und warum es ihn immer noch, immer wieder gipfelwärts zieht. Ein Klassiker der Alpinliteratur!

42 farb. und 20 sw. Abb., Broschur
ISBN 978-3-7022-4059-2
216 Seiten, € 18.–

Karl Gabl

Ich habe die Wolken von oben und unten gesehen

Die Berge, das Wetter, mein Leben

Karl Gabl ist der Meteorologe, auf dessen Prognosen sich Extrembergsteiger weltweit verlassen. Humorvoll, hintergründig und geistreich erzählt Karl Gabl aus seinem Leben.

65 farb. und 20 sw. Abb., geb. m. SU
ISBN 978-3-7022-3545-1
240 Seiten, € 24.95

Wolfgang Nairz
Horst Christoph

Wolfgang Nairz

„Es wird schon gut gehen" – Berge und andere Abenteuer meines Lebens

Der Bergsteiger, Expeditionsleiter, Drachenflieger und Ballonfahrer Wolfgang Nairz erzählt von den Abenteuern seines Lebens und von seinem aktiven Leben mit siebzig.

120 farb. und 12. sw. Abb., geb. m. SU
ISBN 978-3-7022-3411-9
272 Seiten, Sonderpreis € 14.95

Frank Berger

Julius Payer

Die unerforschte Welt der Berge und des Eises. Bergpionier – Polarfahrer – Historienmaler

Das bewegte Leben des großen österreichischen Entdeckers und Polarfahrers.

48 farb., 43 sw. Abb., geb. m. SU

ISBN 978-3-7022-3441-6

268 Seiten, € 24.95

Harry Muré

Jeanne Immink – Die Frau, die in die Wolken stieg

Das ungewöhnliche Leben einer großen Bergsteigerin

Jeanne Immink kletterte als erste Frau die höchsten Schwierigkeitsgrade und wurde zu einer der größten Bergsteigerinnen ihrer Zeit.

66 farb. und sw. Abb., geb. m. SU

ISBN 978-3-7022-3075-3

272 Seiten, Sonderpreis € 7.95

Verein Menschenwege – Götterberge (Hg.)

Herbert Tichy – Das Leben als Reise

Begegnungen mit dem Abenteurer, Bergsteiger und Reiseschriftsteller

Das Buch erzählt vom außergewöhnlichen Leben des charismatischen Abenteurers, Erzählers und Welten-Wanderers Herbert Tichy (1912–1987).

22 farb. und 57 sw. Abb., geb. m. SU

ISBN 978-3-7022-3172-9

272 Seiten, € 24.95

Stefan König

Die Alpenwanderer Forscher – Schwärmer – Visionäre

Große Fußreisen durch das Gebirge

Heinrich Noé, Ludwig Steub und Joseph Kyselak – sie brachen im 19. Jahrhundert zu Fuß auf, um die touristisch erwachende Alpenregion zu erkunden. Die Lebenswege außergewöhnlicher Menschen.

14 farb. und 14 sw. Abb., geb. m. SU

ISBN 978-3-7022-2986-3

168 Seiten, Sonderpreis € 7.95

Norman G. Dyhrenfurth

Wozu ein Himmel sonst?

Erinnerungen an meine Zeit im Himalaya

Der Name Dyhrenfurth ist untrennbar mit dem Himalaya verbunden. Das vorliegende Buch versammelt die schönsten unveröffentlichten Texte aus dem Nachlass dieses großen Bergsteigers und Filmemachers.

21 farb. und 1 sw. Abb., geb.
ISBN 978-3-7022-3689-2
144 Seiten, Sonderpreis € 7.95

Uli Auffermann

Anderl Heckmair – Zum Glück geht's bergwärts

Geschichten aus dem Leben des Erstbesteigers der Eiger-Nordwand

Die Erinnerungen des bayerischen Originals und letzten Bergvagabunden sind nicht nur für Bergsteiger ein wahres Lesevergnügen.

24 farb. und 81 sw. Abb. geb.
ISBN 978-3-7022-2690-9
176 Seiten, € 17.90

Wo die wilden Hunde wohnen

Klettergeschichten aus Tirol

Unglaubliche, aber wahre Geschichten aus der Sturm- und Drangzeit von Tirols Kletter-Größen. Spannend, spritzig und frech berichtet eine Generation von ihren vertikalen Abenteuern und ihrem unkonventionellen Lebensstil.

32 sw. Abb., Klappenbroschur
ISBN 978-3-7022-3043-2
192 Seiten, € 19.95

Walter Spitzenstätter

Ehrensache Leben retten

Die Geschichte der Bergrettung Tirol

Diese erste und einzige umfassende Dokumentation des alpinen Rettungswesens stellt die Entwicklung der Bergrettung von den Anfängen im ausgehenden 19. Jahrhundert bis zur Gegenwart dar. Die Geschichte der Bergrettung Tirol ist untrennbar mit der ehrenamtlichen Tätigkeit ihrer Mitglieder verbunden.

339 farb. und sw. Abb., geb.
ISBN 978-3-7022-3809-4
416 Seiten, € 42.00

Walter Klier

Meine steinige Heimat

Berggeschichten aus Tirol

Der renommierte österreichische Alpin-Schriftsteller Walter Klier erzählt von den heimischen Bergen und ihren Bewohnern: ein Lesevergnügen der besonderen Art. Mit Öl-, Gouache- und Ölpastellbildern von Walter Klier.

12 farb. Abb., Klappenbroschur
ISBN 978-3-7022-3211-5
216 Seiten,
Sonderpreis € 9.95

Jörg Dulsky

Ein Mann geht quer

Von der Mur über die Alpen bis zum Ligurischen Meer

Das Buch erzählt die Geschichte eines Mannes, der das Hamsterrad verlässt und 1500 km weit über die Alpen zu sich selbst wandert. Eine Geschichte vom Aufbrechen, vom Scheitern, vom Überwinden, von der Lust zu gehen und von der Liebe – bis zum Zieleinlauf in Nizza.

53 farb. Abb., Broschur
ISBN 978-3-7022-3691-5
128 Seiten, € 17.95

Ingrid Hayek

Dona Laura spielt Bingo und gewinnt ein Huhn

Reiseerzählungen aus Ecuador

Drei Sommer hat Ingrid Hayek als freiwillige Helferin in Ecuador verbracht: Als Gringa loca (verrückte Weiße), wie sie liebevoll genannt wird, erlebt sie unzählige skurrile Begebenheiten. Die ideale Einstimmung für Ecuadorreisende!

32 farb. Abb., Broschur
ISBN 978-3-7022-3596-3
160 Seiten, Sonderpreis € 7.95

Birgit Sattler

Eis.Leben

Meine Forschungsreisen in die Antarktis

Birgit Sattler hat an fast 20 Polarreisen teilgenommen. Das Buch erzählt von ihrem persönlichen Weg, von Fernweh und Entdeckerlust, von der hypnotischen Kraft der Antarktis und von ihrer Leidenschaft als Wissenschaftlerin, dem Archiv des Lebens Geheimnisse abzuringen.

31 farb. Abb., Broschur
ISBN 978-3-7022-3527-7
176 Seiten, € 17.95

Rudolf A. Mayr

Lächeln gegen die Kälte

Geschichten aus dem Himalaya

Mit liebevollem und doch kritischem Blick erzählt der Autor von alltäglichen Ereignissen, seltsamen Begegnungen und berührenden individuellen Schicksalen und zeichnet damit auf eine zutiefst menschliche und persönliche Art und Weise ein völlig neues Bild von den Menschen im Himalaya.

13 farb. Abb., Broschur
ISBN 978-3-7022-3337-2
224 Seiten, € 17.95

Rudolf Alexander Mayr

Das Licht und der Bär

Erzählungen vom Bergsteigen und anderen Abwegigkeiten

Packend, witzig und geistreich erzählt der ehemalige Extrembergsteiger von Erlebnissen und Begegnungen mit echten oder eingebildeten Bären und anderen sonderbaren Charakteren in den Bergen.

25 farb. Abb., Klappenbroschur
ISBN 978-3-7022-3975-6
184 Seiten, € 19.95

SicherAmBerg – geballtes Wissen für Bergsportler:innen

Die wichtigsten Empfehlungen der Expert:innen des Österreichischen Alpenvereins – jetzt endlich auch im Buchhandel

Ob beim Bergwandern, beim Klettern in der Halle und am Fels, auf Hochtour im vergletscherten Hochgebirge, auf Skitour abseits der Piste oder am Klettersteig: Die *SicherAmBerg*-Lehrschriften des Österreichischen Alpenvereins bringen alles, was man heute für die aktive, risikobewusste Freizeit in den Bergen wissen muss.

- Alle sicherheitsrelevanten Aspekte sowie die neuesten Sicherheitsempfehlungen und Ausrüstungsstandards zu jeder Bergsportdisziplin
- Leicht verständlich durch kompakte Texte, logische Struktur und Reduktion auf das Wesentliche
- Größtmögliche Aktualität durch regelmäßige Überarbeitung im Zweijahresrhythmus
- Basiswissen für Bergsport-Einsteiger:innen und vertiefendes Knowhow für Fortgeschrittene
- Unterstützt und begleitet durch Cardfolder, Lehrvideos und Vorträge
- Verfasst und herausgegeben von den Bergsport-Expert:innen des Österreichischen Alpenvereins

Foto: N. Freudenthaler/ÖAV

Paul Mair / René Sendlhofer-Schag
Sicher am Berg: Mountainbike
Sicher unterwegs auf Forststraßen und Trails

Das gesamte Basiswissen für Mountainbike-Einsteiger sowie unverzichtbares Knowhow für erfahrene Bergradler.

farb. Abb., Broschur
ISBN 978-3-7022-4058-5
236 Seiten, € 29.90

G. Mössmer / L. Fritz / M.I Larcher
Sicher am Berg: Alpinklettern

Dieses Buch vermittelt anschaulich verschiedene Klettertechniken und zeigt die notwendige Ausrüstung und deren Einsatz.

farb. Abb., Broschur
ISBN 978-3-7022-4001-1
252 Seiten, € 32.90

G. Mössmer / M. Larcher / W. Würtl
Sicher am Berg: Skitouren
Risikomanagement Stop or Go©
und Notfall Lawine

Dieser SicherAmBerg-Klassiker zeigt, was im Notfall Lawine zu tun ist.

farb. Abb., Broschur
ISBN 978-3-7022-4007-3
192 Seiten, € 27.90

Würtl / Mössmer / Larcher / Habernig
Sicher am Berg: Klettersteig
Technik & Taktik auf Eisenwegen

Alle praxisrelevanten Aspekte für die selbstständige Begehung von Klettersteigen.

farb. Abb., Broschur
ISBN 978-3-7022-4003-5
122 Seiten, € 19.90

G. Mössmer / M. Schwaiger / M. Larcher

Sicher am Berg: Sportklettern

Sicher unterwegs in Halle und Klettergarten

Kompaktes Kletter-Knowhow für die eigenverantwortliche Ausübung des Klettersports.

farb. Abb., Broschur
ISBN 978-3-7022-4004-2
172 Seiten, € 27.90

B. Stern / K. Herzer / H. P. Schönlaub

Respekt am Berg: Natur und Umwelt

Wissenswertes für Bergsportbegeisterte

Weil es nötig und möglich ist: natur- und sozialverträgliches Miteinander in den Bergen.

farb. Abb., Broschur
ISBN 978-3-7022-4096-7
224 Seiten, € 29.90

M. Larcher / G. Mössmer / L. Fritz

Sicher am Berg: Hochtouren

Sicher unterwegs in Fels und Eis

Ein sachkundiger Zugang zu allen relevanten Fähigkeiten und Techniken.

farb. Abb., Broschur
ISBN 978-3-7022-4005-9
298 Seiten, € 32.90

G. Mössmer / M. Larcher / T. Wanner / M. Habernig

Sicher am Berg: Bergwandern

Sicher unterwegs auf Wegen und Steigen

Alles, was Sie wissen müssen, um risikobewusst auf markierten Wanderwegen unterwegs zu sein.

farb. Abb., Broschur
ISBN 978-3-7022-4000-4
228 Seiten, € 32.90

Heinz Zak / Michael Larcher

Seiltechnik

Das Standardwerk zum Thema Seilsicherung für alle Bergsportbereiche

Wer den richtigen Umgang mit dem Seil lernen oder sein Wissen auf den neuesten Stand bringen will, kommt um die Lehrschrift „Seiltechnik" nicht herum. Alles von der Knotenkunde über Seilschaftsformen, Sicherungstechnik, Standplatzbau bis hin zu Abseil- oder Bergetechniken.

farb. Abb., Broschur
ISBN 978-3-7022-4013-4
116 Seiten, € 19.90

Herta Gauster / Josef Hack / Markus Schwaiger

Handbuch Sportklettern

Dieses Handbuch bietet eine unverzichtbare Grundlage für all jene, die Freude am sicheren Klettern lehren und vermitteln wollen. Materialkunde, Seil- und Sicherungstechnik, Aspekte der Bewegungs- und Trainingslehre und vieles mehr werden anhand von Illustrationen und Bildreihen anschaulich erklärt.

farb. Abb., Broschur
ISBN 978-3-7022-4006-6
366 Seiten,€ 51,90

Herta Gauster / Birgit Kohl / Ursula Stöhr

Kletterspiele für Kletterwand und Turnsaal

Dieses Standardwerk bietet 186 praxisorientierte Vorschläge, wie man auf spielerische Art und Weise vor allem Kindern und Jugendlichen Klettertechniken vermitteln kann. Unverzichtbar für all jene, die Klettern in Schule oder Verein vermitteln, und eine Ideenfundgrube für Eltern.

farb. Abb., Ringbuch
ISBN 978-3-7022-4002-8
186 Bausteine, € 39,90

Erscheint im September 2023

Alpenvereinsjahrbuch
BERG 2024
Herausgegeben vom Deutschen Alpenverein, Österreichischen Alpenverein und Alpenverein Südtirol

Das unverzichtbare Standardwerk für alle Bergfreunde! Mit erstklassigen Beiträgen namhafter Autoren und Fotografen bietet es einen einzigartigen Überblick über die wichtigsten Themen und Trends aus der Welt des Bergsports.

ca. 280 farb. Abb. und ca. 50 sw. Abb., geb.
ISBN 978-3-7022-4138-4
256 Seiten, € 25.–

„Gewissermaßen die Bibel der Bergbücher.“ AZ

Lieferbare Ausgaben:

BERG 2023: ISBN 978-3-7022-4057-8
BERG 2022: ISBN 978-3-7022-3977-0
BERG 2021: ISBN 978-3-7022-3876-6
BERG 2020: ISBN 978-3-7022-3810-0
BERG 2019: ISBN 978-3-7022-3695-3

BERG 2018: ISBN 978-3-7022-3627-4
BERG 2017: ISBN 978-3-7022-3548-2
BERG 2016: ISBN 978-3-7022-3467-6
BERG 2015: ISBN 978-3-7022-3410-2
BERG 2014: ISBN 978-3-7022-3296-2

Martin Burger

Wege in die Vergangenheit – Wien und Niederösterreich

40 Kulturwanderungen auf den Spuren von Drachentötern, römischen Legionären und Triftmeistern

Leichte bis mittelschwere „Entdeckungsreisen" durch Wien und Niederösterreich.

179 farb. und 40 sw. Abb., 40 farb. Karten
m. Streckendiagramm, Klappenbroschur
ISBN 978-3-7022-3605-2
280 Seiten, € 24.95

Mandl / Mandl-Neumann

Wege in die Vergangenheit rund um den Dachstein

Wanderungen und Bergtouren.
Dachstein – Totes Gebirge – Salzkammergut – Schladminger Tauern

Der Entdecker der bronzezeitlichen Almen der Hallstadt-Kultur im Dachstein besucht Felszeichnungen und Schalensteine, römische Fluchtburgen und Bergbaustätten.

117 farb. und 9 sw. Abb., Klappenbroschur
ISBN 978-3-7022-2988-7
224 Seiten, Sonderpreis € 9.95

Heike Bechtold

Vorarlbergs schönste Wasserplätze

101 erfrischende Wander- und Ausflugstipps

Mit diesem großzügig bebilderten Buch lässt sich die ganze Vielfalt des Vorarlberger Wasserschatzes erleben: von lebhaften Badeplätzen am Bodensee über einsame Gebirgsbäche im Montafon oder beeindruckende Schluchten im Bregenzerwald bis hin zu familienfreundlichen Flusswegen am Arlberg oder Wanderungen zu malerischen Bergseen im Großen Walsertal.

540 farb. Abb. u. 101 Karten mit Routenverlauf sowie 2 Übersichtskarten, Klappenbroschur
ISBN 978-3-7022-4106-3
224 Seiten, € 28.–

Heike Bechtold

Das große Vorarlberger Gipfelbuch

101 x hoch hinaus

Dieses Buch stellt die schönsten Berggipfel in Vorarlbergvor – allesamt attraktive Ziele, die für Wanderer in der Regel als Halbtages- oder Tagestouren gut zu bewältigen sind. Wer es zu seinem persönlichen Gipfelbuch macht, kann sich die ganze Vielfalt und Schönheit der Bergwelt des „Ländles" erobern.

425 farb. Abb. u. 101 Karten mit Routenverlauf sowie 2 Übersichtskarten, Klappenbroschur
ISBN 978-3-7022-3934-3
240 Seiten, € 28.–

Rudolf Berchtel

Wanderbuch Bregenzerwald

Wandern und genießen – Natur und Kultur entdecken

Auf historischen Wegen, auf Familien-, Kultur-, Sagen- und Wasserwegen oder auf mehrtägigen Weitwanderrouten entdeckt man die Schönheiten des Bregenzerwaldes.

147 farb. und 1 sw. Abb.,
41 farb. Kartenausschnitte
m. Streckendiagramm,
Klappenbroschur
ISBN 978-3-7022-2996-2
176 Seiten, € 15.95

Georg Kessler

Freizeit im Ländle

Die 100 schönsten Ausflugsziele in Vorarlberg

Ob Frühling, Sommer, Herbst oder Winter – verteilt auf das ganze Land präsentiert dieser Führer klassisch-gemächliche, tempo- und konditionsgerechte, spannende und traditionelle Ausflugsziele.

211 farb. Abb., 10 Karten
Klappenbroschur
ISBN 978-3-7022-3068-5
224 Seiten, € 17.95

Dieter Buck

Vorarlberg – Mit Kindern unterwegs

Zwischen Bodensee, Bregenzerwald, Arlberg und Montafon

50 „kinderleichte" Familien-Wanderungen bieten nicht nur Naturerlebnis pur, sondern Abenteuer, Spiel und Spaß sowie viele Anregungen – Langeweile ist da ein Fremdwort!

89 farb. Abb., 48 Kartenausschnitte, 1 Übersichtskarte, Broschur
ISBN 978-3-7022-3175-0
168 Seiten, € 17.95

Uwe Schwinghammer

Freizeit in Tirol

Die 100 schönsten Ausflugsziele in Nordtirol

100 handverlesene Freizeittipps für die ganze Familie – Aha-Erlebnisse garantiert.

234 farb. Abb., 1 Übersichtskarte, Klappenbroschur

ISBN 978-3-7022-3847-6

256 Seiten, € 19.95

Hubert Gogl

Wipptaler Wanderbuch

Eine umfassende Tourenauswahl im Viggar- und Arztal, Navistal, Schmirn- und Valsertal, Obernberg- und Gschnitztal sowie in der Brennerregion.

173 farb. Abb., Kartenausschnitte m. Streckendiagramm, Klappenbroschur

ISBN 978-3-7022-3122-4

256 Seiten, € 17.95

Hans Fischlmaier

Wanderbuch Unterinntal

Mit Kaisergebirge, Thiersee, Brandenberg, Wildschönau, Alpbachtal und Rofan

Die 65 schönsten Touren zwischen Kufstein und dem Achensee.

167 farb. Abb., 10 Kartenausschnitte, Klappenbroschur

ISBN 978-3-7022-3755-4

176 Seiten, € 17.95

Hans Fischlmaier

Wanderbuch Wilder Kaiser

Talwanderungen – Hüttentouren – Höhenwege – Gipfelziele

68 Touren-Klassiker und Geheimtipps für alle, die das „Juwel im Herz der Alpen“ erkunden möchten.

190 farb. Abb., Kartenausschnitte m. Streckendiagramm, Klappenbroschur

ISBN 978-3-7022-3121-7

256 Seiten, € 17.95

Uwe Schwinghammer

Das Tiroler Wasser-Wanderbuch

66 Tourentipps zu den schönsten Seen, Klammen und Wasserfällen

Wie wäre es mit einer Wandertour zu einem Badesee, einer sommerlichen Familienwanderung durch eine kühle Klamm oder einer Tour zum stillen Kleinod im Hochgebirge, an dessen Ufern noch Einsamkeit und Stille herrscht?

150 farb. Abb., 66 Kartenausschnitte, 1 Übersichtskarte, Klappenbroschur
ISBN 978-3-7022-4107-0
200 Seiten, € 25.–

Nicola Fankhauser
Gudrun Steger

Das große Zillertaler Wanderbuch

Herausgegeben von der Sektion Zillertal des Österreichischen Alpenvereins

Das Zillertal bietet eine enorme Auswahl an erlebnisreichen Wanderungen für nahezu jedes Fitnesslevel. Die in diesem Buch vorgestellten Touren erfassen alle Höhenlagen und bieten ein umfassendes Portfolio dessen, was im Zillertal möglich ist.

189 farb. Abb., 35 topografische Kartenausschnitte mit eingezeichnetem Routenverlauf, 1 Übersichtskarte, Klappenbroschur
ISBN 978-3-7022-3933-6
248 Seiten, € 24.95

Hubert Gogl

Das Tiroler Vier-Jahreszeiten-Wanderbuch

Mit seiner handverlesenen Tourenauswahl bietet das vorliegende Wanderbuch 100 Möglichkeiten, um die landschaftliche Vielfalt Tirols zu allen Jahreszeiten wandernd zu erleben. Inklusive aller wichtigen Angaben zur Anreise mit öffentlichen Verkehrsmitteln.

179 farb. Abb., 102 Kartenausschnitte, 1 Übersichtskarte, Klappenbroschur
ISBN 978-3-7022-3659-5
240 Seiten, € 24.95

Walter Mair

Höhenwegeund Gipfelziele

Bergwandern in Osttirol und Oberkärnten

Das beliebte Bildwanderbuch des Osttiroler Tourenspezialisten Walter Mair präsentiert die schönsten Höhenwege und lohnendsten Gipfelziele in den Osttiroler und Oberkärntner Bergen.

355 farb. Abb.,12 Übersichtskarten, geb.
ISBN 978-3-7022-3066-1
192 Seiten, € 24.95

Walter Mair

Osttirol – Zauber der Bergseen

Walter Mair führt zu 160 Bergseen seiner Heimat. Die größeren Bergseen Osttirols sind im Buch genauso liebevoll und farbenprächtig ins Bild gesetzt wie umschattete Waldtümpel. Eine Einladung zum Wandern in verträumter, unberührter Landschaft.

145 farb. Abb., geb.
ISBN 978-3-7022-1994-9
160 Seiten, € 29.90

Thomas Mariacher

3000er in Osttirol

66x hoch hinaus

Dieses Guidebook präsentiert 66 empfehlenswerte Dreitausender in Osttirol. Dabei wird immer möglichst der „leichteste" Anstieg zum höchsten Punkt beschrieben. Mit Hochgall, Großem Geiger, Rötspitze, Großvenediger und Großglockner finden sich auch anspruchsvolle Hochtouren auf die höchsten und schönsten Berge Osttirols.

ca. 150 farb. Abb. u. 66 Karten
sowie 1 Übersichtskarte, Klappenbroschur
ISBN 978-3-7022-4108-7
192 Seiten, € 25.–

Walter Mair

Das Osttiroler Vier-Jahreszeiten-Wanderbuch

Das Wanderparadies Osttirol am Südhang der Alpen ermöglicht das ganze Jahr über einzigartige und unvergessliche Bergerlebnisse. Passend zu jeder Jahreszeit hat Walter Mair jeweils 16 Wanderziele ausgewählt.

191 farb. Abb., Klappenbroschur
ISBN 978-3-7022-3444-7
256 Seiten, € 24.95

Thomas Mariacher

Skitouren in Osttirol und Oberkärnten

Hohe Tauern – Villgrater Berge – Lienzer Dolomiten – Karnischer Kamm

Das vorliegende Buch bietet mit 200 sorgfältig ausgearbeiteten Tourenbeschreibungen ein einzigartiges Skitouren-Portfolio für die Region. Das Spektrum reicht dabei von einfachen Tagestouren für Toureneinsteiger bis hin zu anspruchsvollen Hochtouren für erfahrene Skibergsteiger.

460 farb. Abb., 37 topographische Karten, 1 Übersichtskarte, Klappenbroschur
ISBN 978-3-7022-3875-9
512 Seiten, € 37.95

Martin Maurer / Thomas Bremm-Grandy / Armin Zechmeister

Skitouren am Dachstein

Vom Grimming bis zum Gosaukamm

Dieses aufwändig gestaltete Guidebook versammelt erstmals die ganze Vielfalt der Tourenmöglichkeiten rund um den mächtigen Dachstein. Mit über 100 Tourenzielen – von einfacheren Skirouten für Einsteiger und Genießer bis hin zu sportlich herausfordernden Steilrinnen und einsamen Karen.

316 farb. Abb., 20 Kartenn u. 1 Übersichtskarte
ISBN 978-3-7022-3974-9
384 Seiten, € 36.–

Erscheint im Oktober 2023

Stefan Herbke
Himmlisches Schneevergnügen
Skitourenparadiese in Österreich und Südtirol

Ursprüngliche Bergtäler abseits des Rummels, dazu gemütliche Unterkünfte und eine große Auswahl an lohnenden, weitgehend schneesicheren Routen und Gipfeln – so sehen Skitourenparadiese aus. 22 dieser außergewöhnlichen Destinationen mit mehr als 70 Tourenzielen in Österreich und Südtirol präsentiert dieses Buch.

ca. 200 farb. Abb., ca. 26 Übersichtskarten, geb.
ISBN 978-3-7022-4137-7
ca. 176 Seiten, ca. € 35.–

Stefan Herbke
Traumtouren
25 außergewöhnliche Skidurchquerungen in den Alpen. Mit Transalp, Haute Route und Tauerncross

Dieser großzügig illustrierte Bildband bringt eine reizvolle Auswahl attraktiver Mehrtagestouren, in dem Skitouren-Einsteiger, Variantenfreaks und Freerider ebenso neue Ziele finden wie ambitionierte Skibergsteiger. Schwerpunkt sind eigens kreierte Durchquerungen, die das Beste aus jedem Gebiet verbinden und die sonst nirgends zu finden sind.

294 farb. Abb., 25 farb. Karten, geb.
ISBN 978-3-7022-3808-7
224 Seiten, € 34.95

Tobias Kurzeder
Holger Feist
Powder Guide
Lawinen: Risiko-Check für Freerider

Das moderne Lawinen-Ausbildungsbuch zweier leidenschaftlicher Freerider auf Basis der 3x3-Filter- und der Reduktionsmethode von Werner Munter. Ein Muss für alle Snowboarder, Freeskier und Telemarker!

132 farb. u. 8 sw. Abb.
141 farb. Grafiken
2 Karten, Broschur
ISBN 978-3-7022-2352-6
224 Seiten, € 24.95

Jimmy Odén
Powderguide Free Ski
Wissen für die Berge

Ein Must-have für Freerider und Skiberg-steiger! Jahrelang galt es als Geheimtipp, das außergewöhnliche Freeride-Lehrbuch von Jimmy Odén. Nun wurde es übersetzt und herausgegeben vom Team des erfolgreichen PowderGuide-Projekts.

92 farb. Abb. u. 406 Skizzen
Klappenbroschur
ISBN 978-3-7022-3295-5
416 Seiten, € 24.95

Rudi Mair / Patrick Nairz
lawine. Das Praxis-Handbuch
Die entscheidenden Probleme und Gefahrenmuster erkennen.
Mit neuen Unfallanalysen

Ein Muss für alle, die Schnee und ihr Leben lieben: der topaktuelle Stand des Lawinenwissens!

143 farb. Abb., 45 Grafiken,
Klappenbroschur
ISBN 978-3-7022-3504-8
232 Seiten, € 29.95

Auch in Englisch:
avalanche
ISBN 978-3-7022-3696-0
232 Seiten, € 29.95

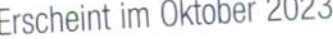

Simon Wohlgenannt

Freeride Bucket List Vorarlberg

Die spannendsten Freeride-Touren im Montafon, am Arlberg und im Klostertal, im Bregenzerwald und im Kleinwalsertal

Dieses hochwertig illustrierte Guidebook zeigt die lohnendsten und spannendsten Freeride Runs in Vorarlberg und ist damit die perfekte Inspirationsquelle für das nächste Abenteuer abseits der Piste.

ca. 100 farb. Abb. u. 50 Karten u. 1 Übersichtskarte, geb.
ISBN 978-3-7022-4056-1
ca. 176 Seiten, ca. € 29.–

Rieg / Schwager / Hartl

PowderGuide Tirol

Die besten Freeride-Touren

55 ausgewählte Tiefschnee-Tourenziele – präsentiert mit erstklassigen Abbildungen, genauen Routenbeschreibungen, hilfreichem Kartenmateri al, vielen Insider-Tipps sowie allen Grundlagen der Schnee- und Lawinenkunde.

103 farb. u. 25 sw. Abb.
55 Kartenskizzen u. 1 Übersichtskarte, Klappenbroschur
ISBN 978-3-7022-3210-8
192 Seiten, € 19.95

Christian Fink / Christian Hoser / Peter Gföller

Gelenkfit in die Berge

Wandern mit Gelenkbeschwerden

Ein Team erfahrener Spezialisten erklärt die Wirkung des Bergwanderns aus medizinischer Sicht, gibt Trainings- und Ausrüstungstipps, stellt Behandlungsmethoden vor und beschreibt, wie die Bergwelt wieder unbeschwert genossen werden kann.

57 farb. Abb., Broschur
ISBN 978-3-7022-3660-1
152 Seiten, € 19.95

Barbara Pirringer

Abenteuer Mountainbiken

Wie du mehrtägige (E-) Mountainbike-Touren planst, dich vorbereitest und unterwegs deine Grenzen neu definierst

Mountainbiken liegt im Trend. Trotzdem scheint der Sprung von der Feierabendrunde zur Mehrtagestour für viele Hobby-Biker eine Hürde. Dass diese leicht zu nehmen ist, zeigt dieses Buch. Es verrät, wie man sich auf eine mehrtägige Tour vorbereitet, was unbedingt in den Rucksack muss und wie man auch in überraschenden Situationen einen kühlen Kopf bewahrt.

141 farb. Abb., 5 Übersichtskarten und Höhenprofile, Broschur
ISBN 978-3-7022-3932-9
176 Seiten, € 19.95